folio benjamin

À Alis
'' Bon anniversaire.

TRADUCTION DE ÉLISÉE ESCANDE

ISBN : 2-07-054796-5
Titre original : *The Three Little Pigs*
Publié par Atheneum, New York
© Erik Blegvad, 1980, pour les illustrations
© Fernand Nathan, 1926, pour la traduction française
© Gallimard Jeunesse, 2001, pour la présente édition

Numéro d'édition : 130236
Loi n° 46-956 du 16 juillet 1949
sur les publications destinées à la jeunesse
1er dépôt légal : octobre 2001
Dépôt légal : avril 2004
Imprimé en Italie par Editoriale Lloyd
Réalisation Octavo

Erik Blegvad

La véritable histoire des trois petits cochons

GALLIMARD JEUNESSE

Il y avait une fois trois petits cochonnets qui s'en allèrent chercher fortune par le monde.

Le premier rencontra un homme
qui portait une botte de paille
et il lui dit :
– Bonhomme, donne-moi cette paille
pour me bâtir une maison.
L'homme lui donna la paille,
et le petit cochonnet se bâtit
une maison avec.

Bientôt après le loup arriva,
et, frappant à la porte, il s'écria :
– Petit cochonnet, petit cochonnet,
laisse-moi entrer.
Mais le cochonnet répondit :
– Non, non, par la barbiche
de mon petit menton.

Alors le loup répliqua :
– Eh bien ! je soufflerai,
et je gronderai, et j'écraserai
ta maison.

De sorte qu'il souffla et qu'il gronda,
et il écrasa la maison et mangea
le premier petit cochonnet.

Le second petit cochon rencontra
un homme qui portait un fagot
d'épines, et il lui dit :
– Bonhomme, donne-moi ces épines
pour me bâtir une maison.
Le bonhomme lui donna les épines
et le petit cochon bâtit sa maison.

Bientôt après le loup arriva
de nouveau, et il dit :
– Petit cochonnet, petit cochonnet,
laisse-moi entrer.
– Non, non, par la barbiche
de mon petit menton.
– Eh bien ! je soufflerai,
et je gronderai, et j'écraserai ta maison.

De sorte qu'il souffla, et il gronda,
et il écrasa la maison et mangea
le second petit cochon.

Le troisième petit cochon rencontra
un homme avec un chargement
de briques, et il lui dit :
– Bonhomme, donne-moi ces briques
pour me bâtir une maison.

L'homme lui donna les briques
et il se bâtit avec une maison
bien solide.

De nouveau, le loup arriva, et dit :
– Petit cochon, petit cochon,
laisse-moi entrer.
– Non, non, par la barbiche
de mon petit menton.

– Alors je soufflerai, et je gronderai,
et j'écraserai ta maison.

De sorte qu'il souffla, et il gronda,
et il souffla,

et souffla encore, et il gronda,
et gronda encore,

mais il ne put pas écraser la maison.

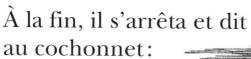

À la fin, il s'arrêta et dit
au cochonnet :

– Petit cochon, je sais où il y a
un joli champ de navets.

– Où ça ? demanda le petit cochon.
– Là-bas, dans le champ du forgeron ;
si tu es prêt demain matin, nous irons
en chercher ensemble et nous
en rapporterons pour notre souper.
– Bon, dit le cochonnet.
À quelle heure ?
– Oh ! à six heures.

Mais le petit cochon se leva à cinq
heures et courut chercher les navets,
avant que le loup fût levé,
et quand le loup arriva en criant:
– Petit cochon, es-tu prêt?
Le petit cochon répondit:
– Prêt? il y a longtemps
que je suis revenu, et les navets
sont presque cuits.

Le loup fut très
en colère, mais il pensa
qu'il trouverait bien
le moyen de venir à bout
du petit cochon, et il dit seulement :

– Petit cochon, je sais où il y a
un beau pommier tout couvert
de pommes mûres.
– Où ça ? dit le cochon.
– Là-bas, dans le verger de la cure ;
et si tu veux tenir ta parole,
je viendrai te chercher demain matin
à cinq heures pour y aller.

Le petit cochon ne dit rien,
mais il se leva à quatre heures
et courut chercher les pommes,
espérant être rentré avant l'arrivée
du loup.

Mais il lui fallut longtemps
pour grimper en haut de l'arbre,
de sorte que, juste comme il allait
descendre, il vit arriver le loup.
Celui-ci lui dit :
– Comment ! tu es déjà là ?
Est-ce que les pommes sont mûres ?
– Certainement, dit le petit cochon.
Goûte !
Et il jeta la pomme si loin
que pendant que le loup allait
la ramasser, le petit cochon sauta
par terre et courut à sa maison.

Le lendemain, le loup revint
de nouveau et dit :
– Petit cochon, il y a une foire
à la ville, cet après-midi. Veux-tu venir ?
– Oh ! oui, dit le cochon.
À quelle heure ?
– À trois heures, dit le loup.

Comme d'habitude, le petit cochon
partit bien avant l'heure,
alla à la foire où il acheta
une baratte et il était en train
de la faire rouler jusque chez lui
quand il vit venir le loup.

Alors il se cacha dans la baratte
et la fit rouler en bas de la colline,
si vite que le loup prit peur
et s'enfuit chez lui.

Il alla vers la maison du cochon
et lui raconta combien il avait
eu peur d'une grosse chose ronde
qui roulait toute seule sur la route.

Alors le petit cochon se mit
à rire en disant :
– C'était moi ! Je t'ai fait peur, alors !

Sur quoi le loup fut si en colère
qu'il voulut descendre
par la cheminée pour manger
le petit cochon.

Mais celui-ci se hâta de mettre
une grande marmite d'eau
sur le feu, et juste comme le loup
descendait…

… il ôta le couvercle, et le loup tomba
dans l'eau bouillante !
Le petit cochon remit bien vite
le couvercle, et quand le loup fut cuit,
il le mangea pour son souper.

Fin

L'ILLUSTRATEUR

Erik Blegvad est danois. Il est né en 1923 à Copenhague. Il quitte le Danemark en 1947 pour s'installer à Paris, où il travaille en tant qu'illustrateur pour *Elle*, *France Soir* et d'autres publications.

Il rencontre Lenore, une peintre américaine étudiant dans les ateliers de Fernand Léger et André L'Hôte. Ils se marient en 1950, à Copenhague, et s'installent à New York. Ils ont deux fils dans les années cinquante. Erik travaille pour de nombreux magazines et se met à illustrer des livres pour enfants de son trait si fin, élégant et évocateur. En 1966, ils reviennent en Europe. Leurs fils vivent à Londres et se marient. Leurs petits-enfants parlent de nombreuses langues étrangères.

Erik a illustré une centaine de livres dont douze écrits par sa femme. C'est en France qu'ils aiment vivre. À Paris, mais aussi à Roquebrune, sur la grande corniche, où Erik fait du vélo très doucement. Quand il fait trop chaud en Europe, ils passent l'été dans leur maison en bois dans le Vermont, aux États-Unis.

folio benjamin